LE MAÎTRE DES GLACES

Cet ouvrage a initialement paru en langue anglaise en 2009
chez Orchard Books sous le titre :
Koldo the Artic Warrior.

Mise en page et colorisation : Lorette Mayon.

Hachette Livre, 43, quai de Grenelle, 75015 Paris.

Adam Blade

Adapté de l'anglais
par Blandine Longre

LE MAÎTRE DES GLACES

Le château
de glace

La grotte du croissant

FREESHOR

Les plaines

La jungle arc-en-ciel

Gwildor
TON
Champs
Village
de pêcheurs
Océan

TOM

Tom, le héros de cette histoire, a déjà combattu plusieurs Bêtes au cours de quatre missions confiées par le sorcier Aduro. Avec l'aide de son amie Elena, il a libéré les Bêtes du royaume d'Avantia, retrouvé l'armure dorée, reconstitué l'amulette magique et vaincu Malvel, le sorcier maléfique. Lors de sa dernière quête, il a enfin redonné vie à son père, Taladon l'Agile, que Malvel avait transformé en fantôme.

ELENA

Elena, la meilleure amie de Tom, le suit dans toutes ses missions. Le garçon sait qu'il peut toujours lui faire confiance, car la jeune fille est téméraire et vive d'esprit. Elle ne se décourage jamais et a toujours de bonnes idées pour secourir ses compagnons. Excellente archère, elle décoche ses flèches à la vitesse de l'éclair ! Elle adore son loup, Silver, qui l'accompagne depuis le début de ses aventures.

VELMAL

Velmal, le nouvel ennemi juré de Tom, est un puissant sorcier qui règne sur le royaume de Gwildor. Après avoir ensorcelé Freya, il a pris le contrôle des Bêtes. Par sa faute, ces créatures sèment maintenant la terreur à travers le pays. Mais Tom est déterminé à les libérer du sortilège de Velmal !

FREYA

Depuis que Freya, la Maîtresse des Bêtes de Gwildor, a été ensorcelée par Velmal, elle est devenue aussi maléfique que lui. Pourtant, Tom est persuadé qu'il sera capable de la délivrer de ce sortilège afin de rétablir la paix dans le royaume. Elle possède six objets magiques que Velmal a éparpillés à travers le pays : c'est grâce à eux que Tom parviendra peut-être à libérer les Bêtes.

ADURO

Aduro, le bon sorcier à la longue barbe blanche et au regard perçant, vit au palais du roi Hugo. Il fait pleinement confiance à Tom et à Elena pour sauver le royaume d'Avantia. Les jeunes gens lui ont déjà prouvé plusieurs fois qu'il avait raison. Il les aide souvent dans leurs missions en leur donnant de précieux conseils.

MALVEL

Malvel est un sorcier machiavélique extrêmement puissant. Son but ultime est de détruire Avantia, en jetant le royaume dans le chaos. Pour accomplir sa détestable tâche, il commande des Bêtes maléfiques, plus terrifiantes les unes que les autres. À Gorgonia, Tom est parvenu à le combattre, mais Malvel se révèle plein de surprises…

Sois le bienvenu dans un nouveau monde… le royaume de Gwildor.

Tu pensais peut-être que Tom avait terminé sa quête ? Eh bien, tu t'es trompé ! Même s'il a réussi à vaincre le sorcier Malvel, d'autres défis l'attendent : il doit maintenant quitter Avantia pour voyager jusqu'à un pays inconnu, où il lui faudra délivrer six Bêtes maléfiques.

Aura-t-il la force et le courage de les affronter ? Ou bien sera-t-il obligé de renoncer face au danger ? Il ne sait pas encore qu'il a des liens étroits avec les habitants de ce royaume ni qu'un nouvel ennemi a la ferme intention de le vaincre. As-tu deviné qui est cet adversaire ?

Si tu veux connaître la suite des aventures de Tom, je te conseille d'être aussi courageux que lui…

Velmal

Tom et Elena ont déjà libéré trois des six Bêtes de Gwildor ensorcelées par Velmal : Krabb, le maître des océans, Hawkite, le maître du ciel, et Rokk, le maître des montagnes. Il leur faut maintenant reprendre leur route à travers le royaume de Gwildor afin de poursuivre leur quête et délivrer Koldo, le maître des glaces.

Tom et son amie réussiront-ils à échapper aux pièges que leur tendent le sorcier maléfique et la cruelle Maîtresse des Bêtes, Freya ?

TOUT COMMENCE...

— Regardez ! s'écrie Dylar, le chef du village, en pointant un doigt vers le sol.

En voyant l'empreinte de pas géante dans la neige, Linus laisse échapper une exclamation de surprise. Le garçon réalise que l'histoire de l'homme de glace n'est pas une légende...

Les habitants ont quitté leur village, Freeshor, pour traquer ce monstre. Malgré leurs torches et leurs vêtements de fourrure, ils frissonnent de froid.

— Là-bas, j'ai vu quelque chose ! prévient un homme.

— Allons-y ! répond un autre.

— Oui, on doit pourchasser cette Bête ! déclare une femme.

La foule s'élance en avant, mais Dylar l'arrête :

— Attendez ! Pour combattre ce monstre, il faut rester groupés et protéger les plus jeunes.

Linus se faufile entre les adultes : il n'a pas envie de se retrouver à l'arrière avec les autres enfants.

Soudain, une créature immense surgit devant les villageois en poussant un hurlement de rage...

— Le maître des glaces ! crie Dylar.

La Bête est aussi haute que deux hommes et une lueur bleue illumine son corps de glace, presque transparent. Son visage ressemble à celui d'une statue et ses yeux sont comme deux étangs gelés.

Linus remarque aussi qu'elle porte un bouclier d'un vert luisant et un gourdin de glace.

Le maître des glaces lève un pied, puis le fait retomber si fort que le sentier vibre. Les villageois reculent en trébuchant.

— Encerclez-le ! ordonne le chef.

Les hommes se précipitent vers la créature, qui se met aussitôt à courir

dans la direction opposée ; mais ses poursuivants sont plus rapides.

Linus bondit en avant en brandissant sa torche. Éblouie par les flammes, la Bête lâche son bouclier et lève un bras devant son visage. Avec étonnement, le garçon comprend que ce monstre a peur du feu !

« Si j'arrive à ramasser son bouclier, je deviendrai un héros », pense-t-il.

Il voit alors des gouttelettes apparaître sur le corps du maître des glaces...

— On va le détruire ! hurle un villageois.

— Oui, on va le faire fondre avec nos torches ! ajoute un autre.

Tout le monde s'approche lentement de la créature.

— Non ! réplique Dylar en souriant. J'ai une autre idée...

Chapitre un

Premier défi

Tandis que Tempête redescend un sentier escarpé, Tom peine à rester droit sur sa selle. Le dernier combat contre Rokk, le maître des montagnes, l'a épuisé. De plus, sa main droite lui fait toujours aussi mal depuis que Krabb, le maître des océans, l'a mordue.

« Pourvu qu'Elena ne s'en rende pas compte », pense le garçon, qui ne veut pas inquiéter son amie.

— Et si on consultait notre carte ? propose la jeune fille.

Tom prend l'amulette magique accrochée à son cou et la retourne. Deux routes qui mènent vers le nord du royaume de Gwildor apparaissent en son centre. La première se dirige vers une petite silhouette de glace, sous laquelle est inscrit un nom : Koldo.

— C'est sûrement la prochaine Bête qu'on devra délivrer, dit le garçon.

La seconde route conduit à un objet minuscule.

— On dirait une balance, constate Elena. Je me demande bien à quoi elle peut servir.

— On le saura quand on l'aura retrouvée, répond Tom.

Accompagnés de Tempête et de Silver, ils prennent cette direction et atteignent très vite la lisière d'une forêt sombre et touffue. La brume recouvre la cime des arbres et des lianes pendent des branches.

— Cet endroit est sinistre ! On devrait peut-être le contourner, suggère Elena.

Son ami vérifie la carte et secoue la tête.

— C'est impossible, cette forêt est bien trop grande, annonce-t-il.

Malgré la douleur qui traverse sa main, le garçon se fraie un chemin en donnant de grands coups d'épée dans les buissons.

— Est-ce que ça va ? demande Elena.

— Oui. On est bientôt arrivés, répond Tom en scrutant devant lui.

Mais il grimace en tranchant une liane.

Son amie pose la main sur son bras.

— Je vois bien que tu as mal, dit-elle. Tu devrais te reposer un moment.

— Si je ne peux même pas me servir de mon arme pour couper quelques lianes, comment est-ce que je pourrai affronter Koldo ? s'inquiète le garçon.

— Je serai toujours là pour t'aider, affirme gentiment la jeune fille.

— Merci, dit Tom en changeant son épée de main.

Quelques instants plus tard, ils atteignent l'autre bout de la forêt. Des plaines enneigées d'une blancheur bleutée

s'étendent à perte de vue devant eux. Un vent glacial s'est mis à souffler.

— Comme c'est beau ! s'exclame Elena, admirative.

« Beau, mais mortel », pense Tom.

Dans les ténèbres

Tom et Elena enfilent les vêtements de fourrure qu'ils ont emportés avec eux. Grâce à son pelage épais, Silver ne souffre pas du froid ; il bondit dans la neige, tout excité !

Puis les deux amis grimpent en selle et se remettent en route. Suivi du loup d'Elena, Tempête

avance au petit trot sur l'étendue glacée. Au bout d'un moment, des flocons commencent à tournoyer autour d'eux et à recouvrir le sentier.

— On risque de se perdre dans cette région… murmure Tom, pas très rassuré.

Il consulte de nouveau l'amulette magique.

— Heureusement, on se rapproche de la petite balance, remarque Elena en observant la carte par-dessus l'épaule du garçon.

Le petit objet se trouve dans une vaste grotte en forme de croissant, pourvue de deux entrées. La première est située sur le flanc d'un glacier, juste devant eux.

— On ne peut pas emmener les animaux, déclare le garçon. Cette pente est trop raide pour Tempête.

Tom et Elena descendent alors de cheval, puis grimpent vers la grotte en s'agrippant l'un à l'autre pour ne pas glisser. Une fois devant l'entrée, ils s'immobilisent le temps que leurs yeux s'habituent à l'obscurité qui règne à l'intérieur.

— Regarde, chuchote Elena en pointant un doigt vers le sol.

La jeune fille montre quelques plumes d'oiseau qui flottent dans une flaque.

— Une créature sauvage vit peut-être dans cet endroit…

Soyons prudents, conseille Tom.

Ils avancent dans les ténèbres en longeant la paroi. Il fait de plus en plus froid dans la grotte et Elena claque des dents. Le garçon effleure alors la clochette de Nanook, le monstre des neiges, qui est incrustée dans son bouclier : aussitôt, un courant d'air chaud les enveloppe !

— Merci, murmure son amie.

Bientôt, la grotte s'élargit. Tom est sur le point d'examiner la carte quand il entend

un bruissement tout proche. Il se dépêche de dégainer son épée.

Soudain, des cris perçants résonnent.

— Baisse-toi ! ordonne-t-il à Elena.

Ils se penchent vers le sol, tandis que quelque chose passe au-dessus de leurs têtes en hurlant.

— Qu'est-ce que c'était ? demande la jeune fille, complètement affolée.

Au même instant, cinq gros oiseaux noirs au bec jaune apparaissent devant eux.

Une lueur maléfique brille dans leurs yeux...

— Ces créatures appartiennent sûrement à Velmal, devine le garçon.

En entendant le nom de leur maître, les oiseaux fondent sur Tom et Elena.

L'un d'eux s'agrippe au bouclier du garçon, qui le repousse facilement pendant que son amie chasse les autres en leur donnant des coups de pied.

Les créatures finissent par s'éloigner avec des glapissements moqueurs.

— Tom, regarde ! s'écrie brusquement Elena.

La balance luit faiblement à l'autre bout de la grotte...

— L'objet magique de Freya ! Il faut le récupérer au plus vite ! s'exclame Tom en s'élançant vers lui.

Chapitre trois

Le réveil d'un ennemi

— Est-ce que tu as vu le mur ? demande Elena.

Le garçon remarque alors que la balance est enfermée derrière une épaisse paroi de glace.

— Je peux me servir de mon épée, propose-t-il.

Au même moment, son amie écarquille les yeux et montre quelque chose derrière lui.

Tom fait volte-face.

À moins de dix mètres de lui, un ours blanc est endormi, la tête posée sur ses pattes avant. Et autour de l'énorme animal, le sol est jonché d'ossements...

— Si on reste ici, cet ours risque de se réveiller et de nous dévorer, chuchote Elena.

— On ne peut pas faire demi-tour maintenant. Sans la balance, jamais on n'arrivera à vaincre Koldo, réplique son ami.

— Dans ce cas, dépêche-toi ! conseille la jeune fille.

Je te protégerai si l'ours s'aperçoit de notre présence.

Elle encoche une flèche à son arc pendant que Tom place la pointe de son épée contre le mur gelé et appuie de toutes ses forces. Un éclat de glace minuscule tombe à terre. Il essaie encore une fois, sans résultat. Au bout de plusieurs tentatives, il sent le découragement l'envahir.

« Ça va prendre beaucoup trop de temps... », pense-t-il, désespéré.

Soudain, une idée lui traverse l'esprit. Il range son

arme et pose son bouclier contre la paroi. Grâce à la clochette magique de Nanook, la surface commence à fondre lentement...

Puis un gros morceau se fissure et tombe sur le sol avec fracas !

Aussitôt, l'ours ouvre la gueule pour bâiller, s'étire et lève la tête. Le bruit l'a réveillé !

Dès qu'il aperçoit Tom et Elena, l'animal pousse un grondement féroce. Il se redresse sur ses pattes arrière en rugissant d'un air furieux,

puis retombe sur le sol et se met à courir vers eux.

— Il est deux fois plus gros que Tempête, murmure le garçon, terrifié.

— Qu'est-ce qu'on va faire ? s'écrie Elena.

Paralysée par la peur, elle est incapable de bouger.

S'ils veulent échapper à cet ours et terminer leur quête, Tom doit trouver une solution au plus vite !

Chapitre quatre

Sauvés... de justesse !

Alors que l'ours fonce droit sur eux, Elena se ressaisit et entraîne Tom sur le côté, juste à temps pour éviter l'animal.

Celui-ci s'écrase contre la paroi de glace, et des dizaines d'éclats acérés volent dans toutes les directions. L'ours pousse un hurlement de douleur, puis se retourne pour affronter Tom et Elena.

— Merci de m'avoir sauvé ! dit le garçon à son amie. Maintenant, écarte-toi, c'est trop dangereux.

L'animal s'avance en donnant dans l'air de violents coups de patte. Tom se baisse sous les griffes tranchantes et cherche un moyen d'atteindre la balance, qui est juste derrière son adversaire. Mais celui-ci est trop gros.

Le garçon agite alors son épée devant lui. Pourtant, l'ours n'a pas l'air d'avoir peur de l'arme et continue d'avancer.

— J'ai une idée ! s'exclame Elena. Passe-moi l'amulette !

Tom lui lance l'objet.

— Je reviens tout de suite, fais-moi confiance, dit-elle en courant vers la sortie de la grotte.

Tom se retrouve seul... Il n'a pas le choix : il doit combattre cet ours.

Au même instant, une patte de l'animal s'abat sur lui. Tom réussit à parer le coup avec son bouclier, puis tente d'attaquer avec son épée... Mais sa main est si douloureuse qu'il lâche son arme !

Celle-ci retombe aux pieds de son ennemi. Le garçon se précipite pour la ramasser, quand l'ours le menace de nouveau de ses griffes. Tom se jette sur le côté... mais n'est pas assez rapide : l'animal le repousse brusquement contre la paroi de la grotte.

Soudain, le garçon aperçoit un mouvement derrière l'ours. Le visage d'Elena apparaît dans une cavité.

Il remarque aussi Tempête et Silver derrière elle.

« Comment est-ce qu'elle a fait pour arriver de ce côté ? »

se demande-t-il. Puis il se souvient de la seconde entrée de la caverne !

— Essaie d'attirer son attention ! crie le garçon à son amie.

La jeune fille place deux doigts dans sa bouche et émet un sifflement strident.

Malgré tout, l'ours ne se retourne pas... et continue d'avancer vers Tom. Tout à coup, l'animal gémit de douleur et pivote maladroitement: une flèche est plantée dans sa patte!

« C'est maintenant ou jamais », comprend le garçon.

Il en profite pour contourner l'animal et s'approcher de la balance: il la saisit sans attendre et part en courant vers Elena.

— Ce passage est vraiment très étroit, prévient son amie. On doit d'abord l'élargir !

Tempête se met à donner des coups de sabot dans la glace qui entoure l'entrée de la cavité : bientôt, il y a juste assez de place pour que le garçon puisse s'y faufiler et l'ours est si gros qu'il ne peut pas suivre Tom !

— Merci, dit-il à Elena.

Les rugissements de l'ours remplissent la caverne tandis qu'il essaie de glisser sa tête dans l'ouverture. Mais Tom est maintenant en sécurité !

— Comment est-ce que tu as trouvé ce deuxième chemin ? demande-t-il à son amie en caressant l'encolure de son cheval.

— Grâce à l'amulette, répond la jeune fille. Le bon sorcier Aduro nous a dit de toujours lui faire confiance !

Silver renifle la balance et gémit doucement.

— J'espère qu'elle pourra nous aider, remarque Tom.

Il la range immédiatement dans son sac, avec les autres objets qui appartiennent à Freya, la Maîtresse des Bêtes.

— À présent, il est temps de partir à la recherche de Koldo… déclare Elena.

Chapitre cinq

Une Bête enchaînée

Tom et Elena suivent les indications de la carte et traversent des champs enneigés. Ils débouchent bientôt sur une route couverte de traces de roues.

— On doit être tout près d'un village, constate la jeune fille.

Un instant plus tard, ils atteignent un groupe de chaumières.

Tom arrête son cheval devant quatre hommes emmitouflés dans des fourrures.

— Est-ce que vous êtes venus voir le maître des glaces ? interroge l'un d'eux en souriant.

« Est-ce qu'il veut parler de Koldo ? s'étonne le garçon. Ces gens n'ont pas l'air d'avoir peur de la Bête... »

— Pouvez-vous nous dire ce que vous savez de lui ? questionne Elena.

— C'est une créature au corps de glace, voilà tout ! réplique un autre villageois. De

nombreuses personnes arrivent de tout le royaume pour la découvrir.

— Comment s'appelle ce village ? demande Tom.

— Freeshor, répond un autre homme.

Tom et Elena repartent au trot à travers les rues. Des enfants jouent dans la neige et de la fumée s'échappe des cheminées.

— Tout semble paisible, murmure la jeune fille. Je ne comprends pas...

— Oui, c'est bizarre. Personne n'a l'air de se sentir en

danger, alors que la Bête est tout près.

Sur la place du marché, les deux amis mettent pied à terre et Tom dégaine son épée.

— Pourquoi est-ce que tu as besoin de ton arme ? demande Elena.

— On ne sait jamais. Restons prudents, Koldo va peut-être attaquer sans prévenir…

— Du foin pour votre cheval, étrangers ? lance une voix.

Tom se retourne et découvre un garçon de son âge qui le fixe d'un air surpris.

— C'est toi, n'est-ce pas ? dit celui-ci.

Tom échange un regard intrigué avec son amie.

— Qu'est-ce que tu veux dire ? interroge-t-il.

— Tu es l'Élu, précise le jeune villageois. Tu connais certainement la prophétie : *Un fils de Gwildor, né à Avantia, viendra sauver les Bêtes du royaume...*

Tom se rappelle que Castor, le pêcheur, l'a lui aussi appelé « l'Élu ». Il se souvient également du tableau qui les représentait, Elena et lui.

— Mais tu arrives trop tard, reprend le garçon avec fierté. On s'est déjà occupés du maître des glaces ! Il est notre prisonnier.

— Où est-il ? interroge Tom, stupéfait.

— Je vais vous montrer. Au fait, je suis Linus. Suivez-moi.

Il les conduit à l'extérieur du village, le long d'un sentier bordé d'arbres. En chemin, ils passent devant de nombreuses personnes.

— Freeshor est devenu très populaire depuis qu'on a capturé la Bête, explique Linus.

Ils débouchent dans une clairière, où un spectacle étonnant attend Tom et Elena...

Entouré de quatre torches, Koldo est agenouillé au centre d'un étang gelé. Quatre cordes sont attachées à son cou et chacune est reliée à une grosse pierre.

— Le maître des glaces... murmure Elena.

Le corps de glace de la créature, qui est couvert de gouttelettes, fond lentement. Au bord de l'étang, des hommes et des femmes agitent des bâtons en se moquant d'elle.

D'habitude, Tom est toujours effrayé quand il rencontre une Bête. Mais cette fois, il ressent de la pitié.

— Je crois que ces gens font une grosse erreur.

Tom se tourne vers Linus et l'attrape par le bras.

— On doit absolument rencontrer les anciens du village. Est-ce que tu peux nous indiquer le chemin ?

Chapitre six

La Maîtresse des Bêtes

Linus guide Tom et Elena sur le sentier qui repart vers le village. Quelques minutes plus tard, le jeune villageois s'arrête devant une chaumière.

— La nuit tombe et je dois rentrer chez moi car ma mère m'attend pour dîner, explique-t-il. La maison des anciens n'est pas

très loin : en bas de la colline, prenez le chemin de gauche.

Les deux amis le remercient, puis suivent ses indications, toujours accompagnés de Tempête et de Silver. Ils se retrouvent bientôt sur une route pavée qui mène tout droit à un grand bâtiment qui brille d'une belle lueur bleutée.

— On dirait un château de glace ! s'exclame Elena.

Des murmures résonnent à l'intérieur.

— C'est sûrement la maison dont Linus nous a parlé,

devine Tom. C'est là que doivent se réunir les anciens.

Il frappe trois coups à la porte.

— Entrez ! lance quelqu'un.

Le garçon et son amie poussent le battant et découvrent une scène étonnante : une centaine de personnes vêtues de robes rouges sont assises sur des bancs en bois couverts de coussins. Pourtant, elles ne regardent pas les nouveaux venus : leurs yeux sont fixés sur un bouclier de glace posé au centre de la salle.

— Ce bouclier est vert, chuchote Elena. C'est la couleur de Velmal…

— Il appartient sûrement à Koldo, répond son ami. C'est

grâce à cet objet que le sorcier devait contrôler la Bête.

En apercevant Tom et Elena, un homme se lève et s'approche d'eux.

— Je suis Dylar, le chef du village. Qu'est-ce que je peux faire pour vous, étrangers ?

— Vous devez libérer le maître des glaces, déclare le garçon.

À ces mots, tout le monde éclate de rire.

— C'est impossible, cette créature est ensorcelée, affirme un vieil homme.

— Sans son bouclier, cette Bête ne peut plus vous faire de mal, explique Tom.

— Elle est innocente, ajoute Elena. Si vous la gardez prisonnière, elle mourra et...

Soudain, une ombre se détache d'un mur, s'élance vers le centre de la salle et pousse Dylar, qui tombe à terre.

Une femme grande et mince, aux longs cheveux noirs, se dresse devant Tom.

— Freya ! s'exclame-t-il.

La Maîtresse des Bêtes de Gwildor le menace du regard.

— Attrapez-la ! ordonne Dylar en se relevant.

Freya donne un coup de pied au chef du village, qui tombe de nouveau. Pendant ce temps, les anciens courent vers la Maîtresse des Bêtes, mais celle-ci les repousse facilement.

Tom aide Dylar à se redresser.

— Est-ce que ça va ?

— Qui est cette femme ? demande le vieil homme. Et qu'est-ce qu'elle veut ?

— Récupérer le bouclier ! répond le garçon en regardant Freya se battre contre la foule pour se rapprocher de l'objet maléfique.

Elena, qui a encoché une flèche à son arc, essaie de viser leur ennemie, mais elle n'ose pas tirer.

— C'est trop dangereux. Je risque de blesser quelqu'un d'autre ! explique-t-elle à son ami.

Au même instant, Freya bondit vers le bouclier et s'en empare.

— Il appartient à mon maître ! s'écrie-t-elle avec un sourire cruel.

Elle se précipite vers un mur, assène quelques coups à l'aide de son bouclier et réussit à faire un trou dans la paroi.

— Reviens ! hurle Tom.

Mais Freya a déjà disparu dans la nuit.

— Il faut partir à sa poursuite ! conseille Elena.

Ils sortent du bâtiment et retrouvent Tempête et Silver.

Puis ils s'élancent à travers la forêt, bien décidés à rattraper l'alliée de Velmal.

Bientôt, Tom aperçoit la lueur verte du bouclier entre les arbres.

— Elle se dirige vers la clairière où Koldo est prisonnier ! comprend le garçon.

Il accélère l'allure et s'arrête au bord de l'étang gelé. Freya se dresse devant lui.

La Bête est toujours agenouillée entre les torches. Son corps a tellement fondu qu'elle est maintenant de la taille d'un homme.

— Si tu tiens à la vie, n'approche pas ! s'exclame Freya.

— Je n'ai pas peur de toi, réplique Tom en dégainant son épée.

Au même instant, la Maîtresse des Bêtes frappe son bouclier contre la glace. Sous les pieds du garçon, l'étang se met soudain à vibrer et des fissures apparaissent à sa surface. Il a bien du mal à garder son équilibre…

— Fais attention, Tom ! prévient Elena, restée au bord avec quelques villageois terrifiés.

Freya se tourne vers Koldo et pose le bouclier devant lui.

Fascinée, la créature fixe l'objet.

— Prends-le ! ordonne la Maîtresse des Bêtes.

Koldo lève les yeux vers elle, puis les pose de nouveau sur le bouclier.

« On dirait qu'il a peur, devine Tom. Il n'a pas envie d'être maléfique… »

— Prends-le ! répète Freya, menaçante.

« Ne lui obéis pas », supplie Tom en silence.

Lentement, le maître des glaces tend la main et s'empare du bouclier.

Chapitre huit

La balance magique

Dès que la Bête touche le bouclier, elle se met à grandir et à reprendre des forces.

— J'ai rempli ma mission ! déclare Freya en éclatant de rire.

Puis elle se retourne et s'enfuit pendant que Koldo se lève, aussi haut que deux hommes. Les cordes attachées à son cou se cassent et la foule, terrifiée, pousse des hurlements.

Le maître des glaces traverse l'étang gelé et se dresse au-dessus des habitants de Freeshor. D'un geste du bras, il repousse plusieurs villageois, qui sont projetés sur la glace.

Silver s'élance alors avec courage entre les jambes de la créature pour tenter de détourner son attention. Pendant ce temps, Tom avance avec difficulté sur la surface glissante, qui se fissure dangereusement.

« Il faut absolument que je trouve un moyen de l'arrêter ! Comment faire pour garder l'équilibre ? »

Soudain, il repense à la balance qu'ils ont récupérée dans la caverne de l'ours ! Cet objet lui sera peut-être utile...

D'un pas prudent, il rejoint Elena, qui l'attend au bord de l'étang avec Tempête. Puis il prend la balance dans le sac de selle du cheval.

— Reste ici pour aider les villageois, dit-il à son amie.

Au même instant, Koldo pousse un rugissement de

rage et se baisse pour essayer d'attraper les gens en fuite. Mais la glace se brise sous leurs pieds et ils basculent dans l'eau. La Bête rejette la tête en arrière en riant avec cruauté.

— C'est le rire de Velmal… comprend Elena. Fais attention à toi, ajoute-t-elle en regardant son ami avec angoisse.

La balance dans la main, Tom repart sur l'étang où flottent d'énormes blocs de glace. Par chance, dès qu'il sent ses pieds déraper, l'objet magique le force à se pencher

de l'autre côté et lui permet de retrouver son équilibre.

Pendant ce temps, Silver plonge le museau dans l'eau et tire vers lui un villageois grelottant. Elena aide d'autres personnes à regagner la rive.

Quand Tom est assez proche de Koldo, il range la balance dans son manteau de fourrure et se précipite sur son ennemi. Mais celui-ci est encore plus rapide et écarte le garçon avec son bouclier. Sans la balance dans la main, Tom trébuche et glisse sur la glace. Il se relève tout de suite avant de se baisser brusquement pour éviter un autre coup de bouclier.

— Tant que je serai en vie, je te combattrai ! crie-t-il sur un ton de défi.

De toutes ses forces, il abat son propre bouclier sur le pied de la Bête : aussitôt, de

gros morceaux de glace volent en éclats… avant de se reformer rapidement.

« Elle n'est même pas blessée… » constate-t-il, horrifié.

Un sourire féroce apparaît sur les lèvres gelées de la créature, qui donne un violent coup de pied à Tom. Le garçon est soulevé dans les airs avant de retomber brutalement sur la surface glaciale.

Tout étourdi, Tom voit le pied de Koldo au-dessus de son visage, prêt à redescendre…

— Non ! hurle Elena dans le lointain.

Le combat final

À la dernière seconde, Tom réussit à rouler sur le côté et à éviter le pied de Koldo, qui brise la glace et s'enfonce dans l'eau. Le garçon en profite pour se relever.

À bout de force, il sent le découragement l'envahir : comment affronter une Bête invincible ?

« Je dois m'emparer du bouclier qui la rend maléfique... C'est mon seul espoir », réalise-t-il.

Le maître des glaces s'approche de lui. À chaque pas, une couche de glace se reforme à la surface de l'eau. Tom s'éloigne en glissant... « Pourvu que la Bête essaie de me frapper avec son bouclier », pense-t-il.

Mais la créature est rusée : elle oblige son adversaire à reculer jusqu'au centre de l'étang, où la glace est très fine.

Soudain, Tom a une idée : il attend que Koldo soit tout près, puis il fait semblant de trébucher. Alors que la Bête tente de lui donner un coup de poing, le garçon se dépêche de bondir vers son poignet pour s'y agripper !

Furieux, Koldo agite son bras dans tous les sens pour se débarrasser de Tom, mais celui-ci ne lâche pas prise. La Bête se sert donc de son autre main pour projeter le garçon sur la glace. En tombant, ce dernier perd la balance, qui plonge dans l'eau sombre.

— Tom ! appelle tout à coup Elena.

Montée sur Tempête, la jeune fille s'est avancée sur l'étang gelé.

— Attrape ! ajoute-t-elle en lançant une torche enflammée à son ami.

Mais la torche passe au-dessus de lui et tombe plus loin.

Au même instant, Koldo se penche sur Tom et d'un geste rapide le saisit dans son poing ! Le souffle coupé, le garçon sent les doigts gelés de la Bête lui serrer la taille.

Soudain, une pluie d'étincelles jaillit devant eux, et Koldo, ébloui, tourne vivement la tête. Elena a jeté une autre torche sur la Bête ! Tom en profite pour dégainer son épée et l'enfoncer dans l'épaule de la créature.

Tandis que celle-ci pousse un hurlement de douleur, le garçon lui tranche le bras qui tient le bouclier… L'objet maléfique tombe dans l'eau noire, où il est englouti !

— Koldo est libre ! s'écrie Tom, soulagé.

Au même moment, la Bête le lâche, et le garçon dégringole vers l'étang. Pendant qu'il sombre dans l'eau glaciale, le froid envahit son corps. Trop épuisé pour se débattre, il s'enfonce lentement…

« Je vais mourir ici », devine-t-il, désespéré.

Chapitre dix

Sain et sauf !

Incapable de reprendre son souffle, Tom est sur le point de s'évanouir, quand il voit une forme blanche briller dans l'eau noire. On dirait une main…

La forme se rapproche de lui et, tout à coup, le garçon se sent tiré vers la surface à une vitesse incroyable !

Dès qu'il est hors de l'eau, il respire avec soulagement. Puis il lève les yeux et découvre le visage de Koldo, qui lui sourit gentiment. Tom réalise qu'il est assis dans sa main géante. C'est le maître des glaces qui l'a sauvé !

« Et moi, j'ai réussi à délivrer une autre Bête du royaume de Gwildor ! » se dit-il avec bonheur.

Koldo traverse l'étang gelé et dépose Tom sur la terre ferme. Elena court vers lui.

— J'ai cru que tu t'étais noyé ! J'ai eu tellement peur…

— Tout va... bien, maintenant, ne... t'en... fais pas, la rassure-t-il en claquant des dents.

— Mais tu grelottes de froid ! s'exclame la jeune fille en plaçant une fourrure sur les épaules du garçon.

— Mon... bouclier, murmure-t-il.

Elena lui apporte l'objet, puis Tom frotte la clochette de Nanook pour se réchauffer.

— Je te remercie, reprend le garçon. Si tu n'avais pas jeté une torche sur Koldo, il m'aurait étouffé...

— Il n'est plus maléfique, à présent, car tu as détruit le sortilège que Velmal lui avait lancé !

— Et le sorcier de Gwildor ne pourra plus jamais récupérer son bouclier vert, ajoute son ami.

À côté d'eux, le maître des glaces laisse échapper un rire joyeux.

— Regarde, c'est incroyable ! s'écrie Elena.

Stupéfait, Tom voit le bras de glace de Koldo qui se reforme lentement. La Bête se penche pour ramasser un

peu de neige et s'en frotte le bras pour le rendre plus épais.

Ensuite, elle s'accroupit près du garçon et lui tend quelque chose.

— La balance ! s'exclame Elena. Tu l'as lâchée quand tu es tombé.

Tom prend la balance et la range dans son sac de selle, avec les autres objets magiques de Freya.

— Merci, Koldo.

Le maître des glaces se redresse en hochant la tête. Puis il se retourne et s'éloigne en direction du village.

— Tu crois qu'il sera bien accueilli, à Freeshor ? s'inquiète Elena.

— Oui, j'en suis sûr. Les villageois ont dû comprendre que c'était le bouclier qui le rendait maléfique.

Soudain, un rayon de lumière verte descend du ciel et frappe la glace. Un disque grandit sur le sol gelé et une silhouette apparaît bientôt au centre tandis que la terre se met à trembler.

— Velmal, marmonne Tom.

— Évidemment ! réplique le sorcier. Tu imaginais qu'il

suffirait de libérer l'une des Bêtes de Gwildor pour me vaincre ?

— Laisse-nous tranquilles ! s'écrie Elena. On n'a pas peur de toi !

Velmal laisse échapper un rire méprisant.

— Vous devriez, pourtant ! Vous pensez que vous arriverez à sauver les habitants de Gwildor, mais vous vous trompez. Vous ne quitterez pas ce royaume vivants…

À ces mots, Tom dégaine son épée… Trop tard ! Le sorcier a déjà disparu dans un nuage de fumée violette.

— Tant que je pourrai me battre, je ne renoncerai pas à ma quête ! promet le garçon.

— On ferait mieux de repartir, conseille alors Elena.

— Oui, tu as raison, répond Tom. L'aube va bientôt se

lever, il est trop tard pour camper dans cet endroit.

Les deux amis montent sur le dos de Tempête et Silver part en bondissant devant eux.

Tom reprend peu à peu courage.

« Une autre Bête de Gwildor attend d'être délivrée et je suis prêt à l'affronter ! » pense-t-il, plein de détermination.

Fin

Grâce à leur bravoure, Tom et Elena ont délivré Koldo, le maître des glaces, la quatrième Bête qui avait été ensorcelée par le maléfique Velmal. Mais leur quête dans le royaume de Gwildor est loin d'être achevée et d'autres dangers les attendent : Tom et son amie ne savent pas encore qu'il leur faudra retrouver une créature encore plus féroce, qui vit sous terre...

Découvre la suite des aventures
de Tom dans le tome 33
de **Beast Quest** :

LE MAÎTRE DE LA TERRE

Pour savoir quand tu pourras le lire, fonce sur le site
www.bibliotheque-verte.com

Table

PAPIER À BASE DE
FIBRES CERTIFIÉES

hachette s'engage pour l'environnement en réduisant l'empreinte carbone de ses livres. Celle de cet exemplaire est de :

300g éq. CO_2

Rendez-vous sur
www.hachette-durable.fr

Photogravure Nord Compo - Villeneuve d'Ascq

Imprimé en Espagne par CAYFOSA
Dépôt légal : août 2014
Achevé d'imprimer : août 2014
15.4444.5/01 – ISBN 978-2-01-204763-1
Loi n° 49956 du 16 juillet 1949
sur les publications destinées à la jeunesse